Anne-Marie Abitan • Ulises Wense

Souriceau veut apprendre à lire

bayard jeunesse

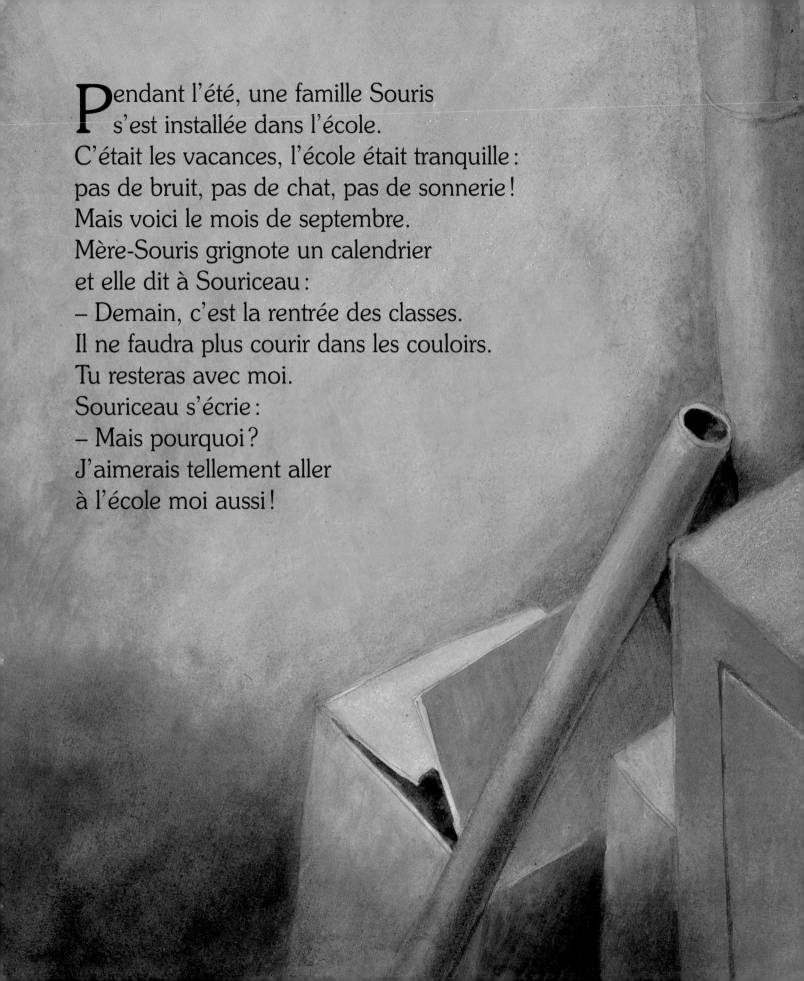

Pendant l'été, une famille Souris
s'est installée dans l'école.
C'était les vacances, l'école était tranquille :
pas de bruit, pas de chat, pas de sonnerie !
Mais voici le mois de septembre.
Mère-Souris grignote un calendrier
et elle dit à Souriceau :
– Demain, c'est la rentrée des classes.
Il ne faudra plus courir dans les couloirs.
Tu resteras avec moi.
Souriceau s'écrie :
– Mais pourquoi ?
J'aimerais tellement aller
à l'école moi aussi !

C'est alors que Père-Souris
montre à sa femme un trou dans le plafond :
– As-tu remarqué ce petit trou ?
Juste au-dessus,
c'est la classe de Madame Padoli.
Notre fils pourrait peut-être en profiter…
Souriceau sautille sur place :
– Oui ! Oui ! Oui ! Je vais aller à l'école,
je vais apprendre à lire. Vive papa !
Mère-Souris est inquiète :
– Mais si quelqu'un le voyait…
Père-Souris lui répond :
– Faisons-lui confiance.
Et toi, mon fils, va te coucher !
Tu dois être en forme pour la rentrée !

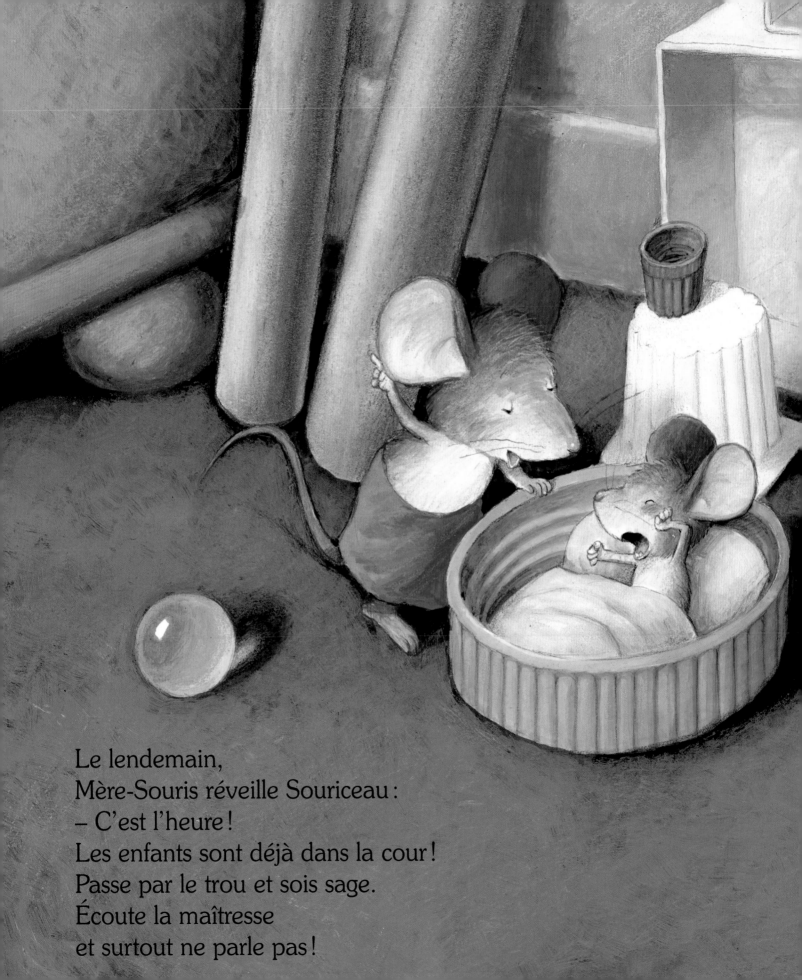

Le lendemain,
Mère-Souris réveille Souriceau :
– C'est l'heure !
Les enfants sont déjà dans la cour !
Passe par le trou et sois sage.
Écoute la maîtresse
et surtout ne parle pas !

Dans la classe, Souriceau cherche une bonne place.

Il choisit l'étagère du fond.

En passant la tête entre deux livres, il voit bien le tableau.

Les enfants arrivent, avec leurs cartables neufs.

La maîtresse les accueille : – Bonjour les enfants !

Je m'appelle Liline Padoli. Cette année, nous allons apprendre à lire. Ce n'est pas difficile. Regardez cette lettre qui se tient bien droit avec un point dessus.

Personne ne la connaît ? Eh bien, c'est le « i » !

Souriceau ne bouge pas un poil de sa moustache.

Il écoute la maîtresse. Il est sage.

Non loin de lui, un petit garçon est assis, il regarde dehors les arbres de la cour, tout droits comme des « i ».

– Félix, tu rêves ? lui demande la maîtresse.

À midi, quand tout le monde est parti,
Souriceau sort de sa cachette,
il passe par le trou et il rentre chez lui.
Mère-Souris l'attend :
– Alors, as-tu été sage ?
Comment est la maîtresse ?
Souriceau, tout excité, s'écrie :
– J'ai appris la lettre « i » !
Mère-Souris, qui ne connaît
aucune lettre, répond :
– Bravo, mon fils. C'est très utile.

L'après-midi, Souriceau s'installe à la même place.
Il ne fait pas de bruit, il écoute la leçon.
Quand la maîtresse a le dos tourné, il sort
de sa cachette pour se dégourdir les pattes.
Soudain, Félix l'aperçoit au bord de l'étagère.
Il lui demande tout bas :
– Tu es nouveau, toi aussi ?
Souriceau chuchote :
– Oui, je voudrais apprendre à lire !
Au même moment, la maîtresse dit :
– Pour demain, vous découperez
dans un journal des images où
il y a des objets dont le nom
se termine par le son « i ».

Le soir, Souriceau prend un catalogue
et il découpe les images
avec ses petites dents pointues.
Père-Souris dit à sa femme :
– Tu avais tort de t'inquiéter.
Regarde-le faire ses devoirs !
C'est un bon fils.

Le lendemain, la maîtresse dit aux enfants :
– Sortez les images que vous avez découpées !
Félix cherche dans son cartable et il marmonne :
– Zut de zut ! Je les ai oubliées !
Souriceau se penche au bord de l'étagère :
– Psst ! Par ici ! J'en ai plein, moi…
Félix se lève pour les attraper.
La maîtresse lui dit :
– Puisque tu es debout, Félix,
dis-moi les mots que tu as trouvés.
Félix répond :
– Du riz, un colis, un radis…
– Bien, dit la maîtresse, très bien.
C'est comme si elle disait
« Très bien » à Souriceau.
Alors Souriceau est tout content.

Quand vient l'heure du goûter,
les enfants ont du pain et du chocolat.
Mais Souriceau, lui, n'a rien !
Félix se tourne vers Souriceau :
– Tu en veux ? Viens !
Souriceau se laisse glisser le long du mur,
il escalade le bureau.
Félix lui dit :
– Bon appétit !
Soudain la maîtresse s'approche
et elle voit Souriceau :
– Mais… qu'est-ce que c'est que ça ?
Souriceau se présente poliment :
– Heu… Bonjour maîtresse…
Je suis un nouvel élève.
– Hiiiiiiiiii ! crie la maîtresse.
– i, i, i, répètent les enfants,
qui n'ont rien compris.
La maîtresse hurle :
– Ne bougez plus !

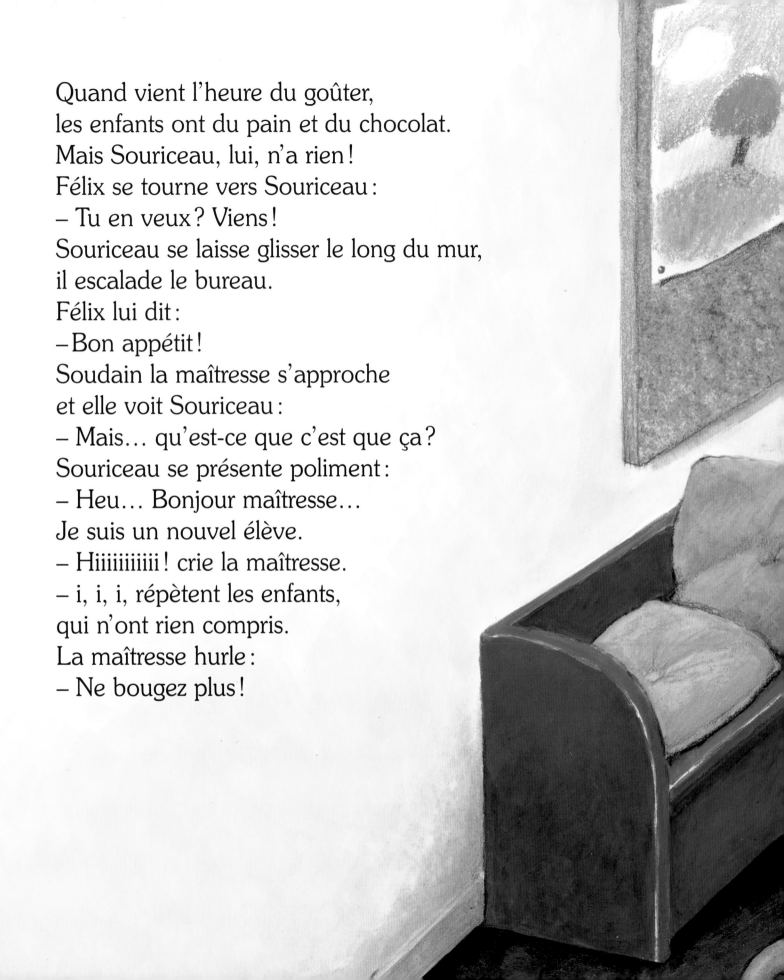

La maîtresse prend la grande règle du tableau
et elle poursuit Souriceau dans toute la classe.
Les enfants hurlent : – Il est là ! Il est passé par ici !
Souriceau est affolé. Il entre dans le cartable de Félix.
– Il est parti, maîtresse ! crient les enfants.
À ce moment, la cloche sonne.
La maîtresse dit, toute tremblante :
– C'est l'heure, rangez vos affaires.
Souriceau sort la tête du cartable
et il demande à Félix :
– Je peux aller chez toi ? Je t'aiderai à faire tes devoirs.
Alors Félix quitte la classe en faisant bien attention
de ne pas secouer son cartable.

Pendant ce temps, sous le plancher,
Mère-Souris s'inquiète :
– Où est notre fils ? Il n'est pas encore rentré
et il n'y a plus un seul enfant dans l'école !
Père-Souris se gratte la moustache :
– Je file jeter un coup d'œil dans la rue !
Attends-moi ici ! Ne t'inquiète pas !

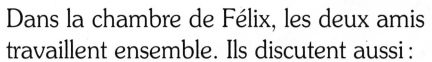

Dans la chambre de Félix, les deux amis
travaillent ensemble. Ils discutent aussi :
– Quand je saurai lire, dit Souriceau,
j'irai à la bibliothèque, et là, je me régalerai…
Félix s'exclame :
– J'ai des tas de livres ici.
On pourra les lire tous les deux
quand tu viendras me voir le dimanche…
Père-Souris, à la fenêtre, les aperçoit.

Père-Souris revient chez lui
tout essoufflé. Il rassure sa femme :
– Tu avais tort de t'inquiéter. Il est allé chez
un camarade faire ses devoirs ! C'est un bon fils.
Peu après, Souriceau rentre aussi :
– Papa ! Maman ! J'ai un copain ! Il s'appelle Félix.
On va lire tous les deux ! Félix dit que plus tard,
il écrira des livres et moi aussi…
– Du calme ! Du calme ! dit Mère-Souris,
et elle embrasse tendrement Souriceau.

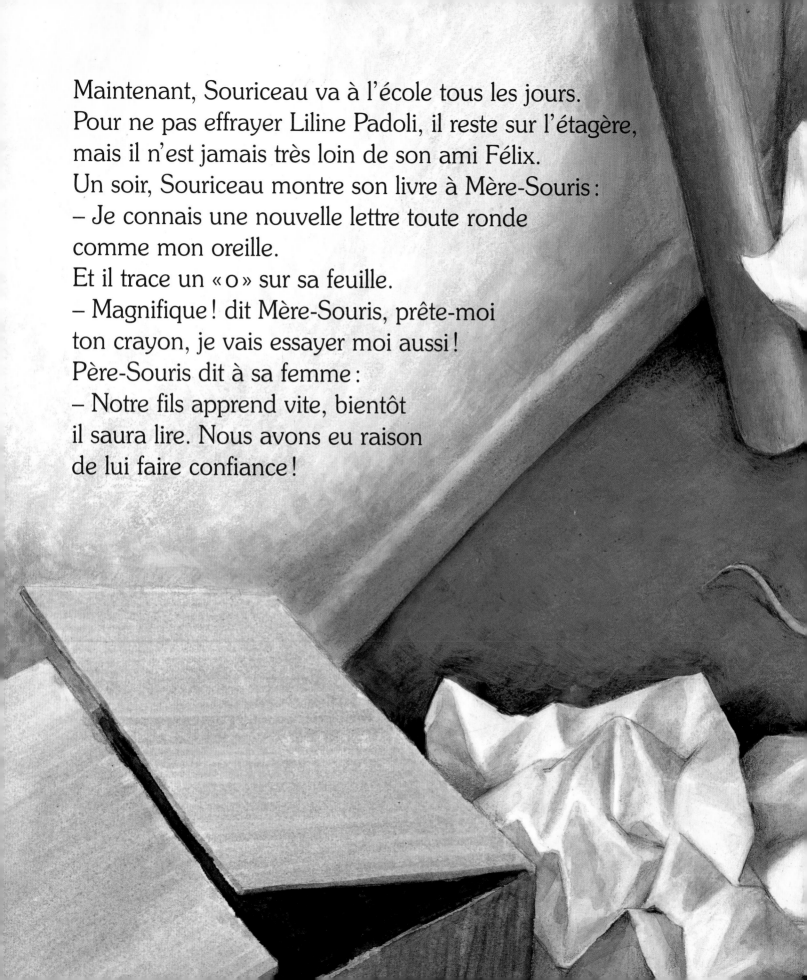

Maintenant, Souriceau va à l'école tous les jours.
Pour ne pas effrayer Liline Padoli, il reste sur l'étagère,
mais il n'est jamais très loin de son ami Félix.
Un soir, Souriceau montre son livre à Mère-Souris :
– Je connais une nouvelle lettre toute ronde
comme mon oreille.
Et il trace un « o » sur sa feuille.
– Magnifique ! dit Mère-Souris, prête-moi
ton crayon, je vais essayer moi aussi !
Père-Souris dit à sa femme :
– Notre fils apprend vite, bientôt
il saura lire. Nous avons eu raison
de lui faire confiance !

ISBN 13 : 978 -2-7470-2991-9
© Bayard Éditions 2009
Texte de Anne-Marie Abitan, illustrations de Ulises Wensell
Dépôt légal : novembre 2012 - 7ᵉ édition
Impression en France par Pollina s.a., 85400 Luçon - L68738A
Loi 49-956 du 16 juillet 1949 sur les publications destinées à la jeunesse

Dans la collection
Les Belles HISTOIRES

René Escudié
Claude et Denise Millet

Claire Clément
Jean-François Martin

Anne-Isabelle Lacassagne
Emilio Urberuaga

Claude Prothée
Didier Balicevic

Michel Amelin
Ulises Wensell

Emilie Soleil
Christel Rönns

Kidi Bebey
Anne Wilsdorf

Gwendoline Raisson
Anne Wilsdorf

Thierry Jallet
Sibylle Delacroix

Gigi Bigot
Ulises Wensell

Agnès Bertron
Axel Scheffler

Thomas Scotto
Jean-François Martin

Catharina Valckx

Pascale Chénel
Britta Teckentrup

René Escudié
Ulises Wensell

Marie Bataille
Ulises Wensell

Claude Prothée
Anne Wilsdorf

Anne Mirman
Éric Gasté

René Escudié
Ulises Wensell

Jo Hoestlandt
Anne Wilsdorf

Mimi Zagarriga
Didier Balicevic

Odile Hellmann-Hurpoil
Régis Faller

Laurence Pain
Claude et Denise Millet

Alain Korkos
Katharina Bußhoff